Гільда Ґаґеруп, Клаус Ґаґеруп

Супердетектив

Тім

і команда

Таємниця зниклого діаманта

Ілюстрації
Елли К. Окстад

З норвезької переклав
Володимир Криницький

Львів
Видавництво Старого Лева
2022

УДК 821.113.5-93
Г 12

Mesterdetektiv Tim & co. series:
Mysteriet med den forsvunne diamanten
© Text: Hilde Hagerup, Klaus Hagerup
© Illustrations: Ella K. Okstad

Published in agreement with Oslo Literary Agency

Ґаґеруп Гільда, Ґаґеруп Клаус
Г 12   Супердетектив Тім і команда. Таємниця зниклого діаманта [Текст] : повість / Гільда Ґаґеруп, Клаус Ґаґеруп ; пер. з норв. Володимира Криницького. — Львів : Видавництво Старого Лева, 2022. — 88 с.

ISBN 978-617-679-930-6

Десятирічна Єнні впевнена, що її молодший брат Тім — такий самий геніальний детектив, як відомий Шерлок Голмс. Для нього немає таємниць і нерозгаданих загадок.

Цієї зими Єнні та Тім уперше їдуть відпочивати на лижний курорт, де їхні батьки придбали невеличкий будиночок. Хоча довкола — лижні траси й прекрасні краєвиди норвезьких гір, Сультоппен — не звичайне курортне містечко. Під час карнавалу в місцевому готелі викрадають дорогий перстень з діамантом. Хто ж у Сультоппені — злодій?

Це історія про те, як супердетектив Тім розгадує першу таємницю і розкриває свою першу справу. А записала все, звісно, його вірна помічниця Єнні.

УДК 821.113.5-93

Книгу видано за фінансової підтримки NORLA

ISBN 978-617-679-930-6 *(укр.)*
ISBN 978-82-03-25503-8 *(норв.)*

Зміст

У кімнаті пролунав гучний і дзвінкий крик. Наймоторошніший з усіх, що я колись чула. Очевидно, людина, яка кричала, таки вміла кричати.

То була пані Корнелія.

— Мій діамантовий перстень зник! — репетувала вона.

Ні, ні. Я забігаю наперед. До крику пані Корнелії сталося ще багато всього. Тож я маю розповісти із самого початку. Мама й тато купили будинок у Сультоппені. І ми поїхали туди. Ось із чого все почалося. З цього почну і я.

1.
Геніальний молодший брат

Коли ми зійшли з поїзда, то побачили на пероні низенького гладкого чоловіка з чорною кудлатою бородою. Він їв гамбургер.

Тато помахав чоловікові, який саме запихав у рот останній шматок гамбургера.

— Сім'я Барків! Я вас відвезу до вашого нового будинку! Мене звуть Пер Лунне. Але ви можете звати мене Лунне Пер. Моя дружина так мене кличе.

Лунне Пер усміхнувся, і крихта булки від гамбургера випала з його рота й заплуталася у бороді.

— Вона зараз у себе в Італії? — спитав Тім.

Він у нас такий маленький і худенький, що його не всі одразу й помічають.

Лунне Пер здивувався.

— Як ти дізнався, що вона італійка? — запитав він.

— В Італії часто прізвище ставлять перед іменем, — відповів Тім.

— Так і є, — мовив Лунне Пер. — Але як ти дізнався, що вона поїхала?

— Лише десята година, — сказав Тім, — а ви їсте гамбургер. Мабуть, тому, що не снідали. І ще сьогодні ви курили в ліжку, хоч уже давно кинули цю звичку.

— Як ти… — почав чоловік.

— У курців жовті пальці, — сказав Тім. — У вас — ні. Але вся борода в попелі. І від вас тхне тютюном. Якби дружина була вдома, ви поснідали б із нею. І не курили б.

— Ну в тебе й голова! — вигукнув Лунне Пер. — Але як ти дізнався, що вона в Італії?

— Це припущення. Я ж не геній.

Одначе тут він помилявся.

У мене геніальний молодший брат.

Ви тільки гляньте на його вуха.

Вони повернуті прямо вперед і вловлюють усі звуки.

Його ніс розрізняє навіть найтонші запахи.

Очі в Тіма великі, зелені й круглі. Він їх майже ніколи не заплющує.

Братові лише вісім років, але він уміє помічати все, що діється довкола.

Тім такий розумний, як знаменитий детектив Шерлок Голмс.

Мій брат завиграшки розгадує таємниці.

Хоча він часом дратує, та я ним дуже пишаюся.

Тому й записала історії про складні загадки, які він розгадав.

Це — історія першої таємниці.

Найперша справа супердетектива Тіма й команди.

2.
Дуже багата пані

Я подивилася в бік гори, що височіла за будівлею залізничного вокзалу.

На сонці виблискував сніг. До вершини вела щойно розчищена дорога, обабіч неї посеред білосніжжя стояли брунатні й червоні будиночки.

— Сультоппен, — сказала мама. — Тобі подобається, Єнні?

— Тут дивовижно!

Єнні — це я.

Мені десять років, і мої вуха не відстовбурчені.

А ще я не маю великих круглих очей.

І не маю особливого нюху.

Але я смілива.

І завжди готова до пригод.

Я мріяла про Сультоппен відтоді, як тато похвалився, що знайшов таку недорогу хатинку, яку навіть сім'я Барків може придбати.

Слалом.

Снігоходи.

Лижні прогулянки з апельсинами й сандвічами.

Нарешті пригоди почнуться.

Я відчула, як мені перехопило подих.

Коли б зняття, що станеться далі, навряд чи я була б у такому захваті.

— Лунне Пере! Лунне Пееее-ееере!

Кричала пані в добротній шубі. Вона зараз стояла за нами й відсапувалася — висока, огрядна, обличчям схожа на ротвейлера.

— Багатійка, — прошепотів Тім. — Цей діамант справжній.

Я теж помітила великий перстень, що виблискував у неї на пальці.

Лунне Пер спохмурнів.

— Пані Корнелія, — сказав він. — І Курт.

Курт ішов позаду пані Корнелії — опецькуватий і червонощокий, з вузенькими вусиками й сигарою в роті.

— Як приємно вас бачити! — усміхнувся Лунне Пер.

— Усмішка надто солодкава, — прошепотів мені Тім. — Лунне Пер їх не любить.

— Це родина Барків. Вони придбали старий будинок у Ларса Руда. Я повинен їх туди відвезти.

— Заплачу тобі тисячу крон, якщо ти спершу відвезеш мене, — сказала пані Корнелія.

А Курт так сильно ляснув тата по спині, що той аж закашлявся. Мій тато худорлявий, невисокий і не дуже міцний.

— Зможеш дати більше, старий? — Курт засміявся.

— Цить! — сказала пані Корнелія. — Я домовляюся.

— Краще дбай про косметику, голубонько, — відповів Курт. — А я сам про все домовляюся. Лунне Пере, я дам тобі дві тисячі крон, якщо відвезеш нас до Ґрантоппена, а тоді вже доставиш цих легковірних простаків до старої халупи Бідаки Ларса.

3.
Бургомістр

— Барки ніколи такого не терпіли, — сказав тато й подивився на Курта.

Я не зрозуміла, що саме він мав на увазі, але зраділа, коли його перервала невисока жінка в коротких штанях і в'язаному светрі.

— Ви можете сісти до мене.

Вона швидко й граційно підбігла до гурту. Волосся мала зібране у хвостики, вуха закривали хутряні навушники, говорила мелодійним голосом. Цілковита протилежність пані Корнелії.

— Мене звати Лена Ларсен.

Її очі сяяли, і я подумала, що вона, мабуть, любить пригоди. Якби не фіолетова стрічка на шиї, Лена Ларсен була б схожа на звичайну туристку-гірськолижницю.

— Бургомістр, — сказав Тім.

— Як ти дізнався?

— Ви забули зняти медальйон бургомістра.

— Я теж це помітила, — мовила я.

Але, певна річ, ніхто мене не почув.

Лена Ларсен розповіла, що вона повертається зі старечого будинку. Літнім людям подобається, коли вона носить прикраси.

— Хоча я більше полюбляю гірськолижне спорядження, — Лена Ларсен підморгнула мені. — Я не ношу таких красивих діамантових перснів, як Корнелія, ні. То що скажеш, Курте? Поїдете зі мною?

— Гаразд, — сказав Курт. — Гадаю, ти їздиш трохи швидше, ніж той сонний Лунне Пер.

— І тобі, мабуть, не завадять дві тисячі крон на покерний турнір, який ти влаштовуєш у старечому будинку, — додала пані Корнелія.

Лена Ларсен засміялася.

— Даруйте, я граю не задля грошей, — сказала вона. — Я граю, бо це весело. Рада була з вами познайомитися, шановні Барки.

— Привітні сусіди й не дуже привітні сусіди, — сказала мама, коли Лена Ларсен посадила Курта й пані Корнелію на заднє сидіння свого автомобіля і поїхала.

— Можна й так сказати, — згодився Тім.

Лунне Пер плеснув у долоні.

— Уже час рушати. Вам, либонь, ще треба розпакувати речі, а потім підготуватися до того, що буде по обіді.

— А що буде по обіді? — спитала я.

— Карнавал, — сказав Тім і зітхнув. Він часто зітхає. Занадто часто як на свої вісім років, якщо хочете знати мою думку.

Лунне Пер здивовано витріщився на нього.

— Як ти дізнався?

— Курт вирядився мов на карнавал. Вуса приклеїв.

— Чистісінька правда! — вигукнув Лунне Пер. — Зимовий карнавал у Сультоппені почнеться за дві години.

— Але ми не маємо костюмів, тож як ти міг здогадатися? — мама скуйовдила Тімові чуб.

Мама дуже любить сюрпризи.

— Але-оп, — сказав Тім. — Мамо, у тата в кишені лежить твій смугастий шовковий шарф. Тато не носить шарфів, а надто ж — шовкових шарфів, до того ж — *твоїх* шовкових шарфів. Очевидно, він думає вдавати пірата.

Тато почервонів.

Лунне Пер довго стояв із роззявленим ротом, перш ніж спромігся щось сказати.

— Звідки ти знав, що ви будете піратами?

— Я не знав, — сказав Тім. — Я припустив. Я ж не...

— ...якийсь там геній, — пробурмотіла я.

— Ну в тебе й голова! — тільки й мовив Лунне Пер.

4.
Темна постать

Ми їхали дорогою мимо готелю, крамниці й лижного спуску.

По обидва боки виблискували на сонці будинки.

Деякі — великі, з травою на даху.

Деякі — маленькі.

Біля якихось були туалети.

Деякі будинки мали веранди.

Усюди під стінами стояли лижі й палиці. На всіх спусках повно лижників. Тім, мама і я сиділи на задньому сидінні машини й роздивлялися довкіл.

— Тут, у Сультоппені, завжди щось стається, — сказав Лунне Пер.

— Я знаю, — буркнув Тім. — І мені це не подобається.

Лунне Пер зупинився перед великим красивим будинком. На гребені його даху красувалися різьблені дракони.

Мама аж роззявила рот:

— Це… він?

— Ні, — зітхнув Тім. — Це не та халупа, яку ми купили в Бідаки Ларса. Просто Лунне Пер хотів привітатися з отим чоловіком.

Тім показав на дядька в темно-синій куртці й чорних штанях, що стояв на пагорку неподалік від автомобіля. Він тримав палиці в одній руці й лижі — у другій.

— Це ваш сусід, — сказав Лунне Пер. — Єнсен. Привіт, Єнсене!

Чоловік зупинився за кілька метрів від нас — високий, широкоплечий і довгорукий. Він насунув синю шапку на очі, заховані за великими сонцезахисними окулярами. Обличчя закутав чорним шарфом аж до самого носа.

— Підвезти тебе? — спитав Лунне Пер.

Кремезний чоловік на мить задумався. Потім похитав головою і пішов далі, не промовивши ані слова.

— Єнсен побудував собі будинок на околиці, на Дикій Горі. Коли він не катається на лижах, то зазвичай перебуває у своєму будинку. Єнсен трохи відлюдькуватий. Але фантастичний лижник.

— Ви певні? — спитав Тім.

— Так, звичайно, — відповів Лунне Пер. — Він посів восьме місце у Біркебайнерреннет[*].

— Я не про те. Ви певні, що то Єнсен?

— Чому ти про це питаєш? — не зрозумів Лунне Пер.

— Він нічого не сказав. І обличчя його не було видно.

Ми дивилися на темну постать, що зникала за пагорбом.

Сонце раптово сховалося за хмарами. У горах таке буває. Тепер ні сніг, ні будинки не виблискували.

Лунне Пер похитав головою.

— Ну в тебе й голова! — сказав він.

Я відчула, як у мене аж мороз пройшов поза шкірою.

---

[*] Найдавніший норвезький лижний марафон дистанцією 54 км. — *Примітка перекладача.*

5.
Халупа Бідаки Ларса

Будиночок, який придбали мама й тато, самотньо стояв у затишку невисокого пагорка.

— Принаймні тут вас не смалитиме сонце, — сказав Лунне Пер, хряснув дверима автівки й поїхав.

Ми знову залишилися самі.

Мама, тато, Тім і я.

Мама ще всміхалася, хоч уже й не так радісно.

У тата на лобі пролягла глибока зморшка.

— То ходімо всередину, — сказав нарешті Тім. — І нехай почнуться веселощі.

У будиночку було дві спальні й вітальня разом із кухнею. Здається, цій хатині було більш ніж сто років.

— Її збудували 1905 року, — сказав Тім.

Я тихенько спитала, як він дізнався.

— Побачив напис над вхідними дверима, — відповів братик.

Я подумала про всі ті красиві будинки, які ми бачили дорогою сюди.

— Це схоже на шматок латуні поміж діамантів. Тім кивнув.

— Непогане порівняння.

Я навіть відчула гордість за себе.

— Атож, — мовила я. — Я не така дурна, як може здатися.

— Нехай тебе це тішить, — сказав Тім.

— Маємо те, що маємо, — сказав тато й потер руки.

У будиночку було майже так само холодно, як і надворі.

— Якби нам сто тисяч крон, тут можна було б усе гарно облаштувати.

— А мені здається, хатинка й так дуже мила, — сказала мама й зітхнула.

Мама, як тато каже, виняткова оптимістка.

Вона спробувала відкрутити кран на кухні.

З нього не витекло ні краплі.

— Спершу треба налити води в бак над мийницею, — сказав Тім.

Тато закусив губу.

— Хатина затишна. Але якби ми мали сто тисяч крон, могла б стати ще затишнішою.

— Годі вже про гроші, — мовила мама. — Подумай про свій костюм. Нам треба розпакувати речі, поїсти й починати перевдягатися. Лунне Пер повернеться по нас о п'ятій.

— На щастя, — сказав Тім, — у готелі, звичайно, є й електрика, і вода.

П'ять хвилин по п'ятій на стоянці перед Сультоппенським високогірним готелем зупинився автомобіль Лунне Пера з піратською сім'єю Барків.

— Підняти брамсель! — вигукнув тато.

— Йо-хо-хо, і пляшка рому! — підтримала його мама.

Ми вийшли з машини. Хоч мені й хотілося трішки зігрітися, треба сказати, що карнавали мене не надто приваблюють.

— Тут пахне людською кров'ю! — загарчав водій.

Вийшло дуже природно, бо він був у костюмі троля.

— Чому в оголошенні нічого не написали про те, що будинок — без води й електрики? — спитала мама.

— Гадки не маю, — відповів троль, вирячивши очі.

Тепер він здавався страшнючим, хоч і був не справжнім тролем, а просто старим добрим Лунне Пером.

Лунне Пером, якого ніхто з нас не знав.

6.
Привітна пані

Готель у Сультоппені був симпатичний, хоч трохи й облуплений.

З нагоди карнавалу фоє прикрасили кульками й гірляндами.

Крізь відчинені двері обідньої зали й великі вікна було видно лижні спуски й гори по той бік долини.

Усі гості були вбрані в кумедні костюми. Тут проходжувалися клоуни, метелики, супергерої, гноми й ціла команда піратів.

— Йо-хо-хо, і пляшка рому, — сказав тато. — Та тут ущерть.

— Так, — відповів Лунне Пер. — Карнавал такий популярний, що доводиться наймати додатковий персонал.

До нас пробиралася привітна сивокоса пані в домашньому халаті.

— Зі старечого будинку, — сказав Тім.

Пані несла тацю, де стояли склянки з напоями.

— Як ти дізнався, що пані Теркопп — зі старечого будинку? — спитав Лунне Пер.

— Вона сиділа в автомобілі Лени Ларсен, — сказав Тім.

— Я теж могла її бачити, — сказала я.

— Так, могла, — відповів Тім. — Але не бачила.

— Прошу, напої! — вигукнула пані Теркопп так голосно, що аж у вухах залящало.

— Красно дякую, — сказала мама. — Що це?

— Сік, — відповів Лунне Пер.

Пані Теркопп усміхнулася і зникла в юрбі.

— Яка привітна пані, — мовила мама.

— Так, — сказав Тім, — але вона глухувата й забудькувата. Мені цікаво…

— Що тобі цікаво? — спитала я.

Тім похитав головою.

— Нічого, — відповів він.

— Звідки ти знаєш, що вона глухувата й забудькувата? — спитав Лунне Пер.

— Вона занадто голосно кричала, коли пропонувала напої, — відповів Тім. — І забула перевдягти свій домашній халат.

— А я думала, що це в неї такий костюм, — сказала я.

Тім кивнув.

— Я знаю, що ти так подумала. Але мешканці старечих будинків щодня ходять у домашніх халатах. Пані Теркопп ніколи не вибрала б собі карнавальним костюмом звичайний халат.

— Ну в тебе й голова! — сказав Лунне Пер і нюхнув напій у склянці. — Пахне людською кров'ю.

— Це полуничний сік, — сказав Тім.

— Ні, — заперечила я, — малиновий.

Тім випив.

7.
Сто тисяч крон

— Пані Корнелія теж не перевдяглася, — кивнула я головою на жінку в добротній шубі.

— Це не пані Корнелія, — промовив Тім. — Вона занадто худа. Це…

Жінка в шубі обернулася.

— Ось ви де! — вигукнула вона.

Це була Лена Ларсен, перевдягнена у пані Корнелію.

— Сімейка піратів! — захоплено мовила вона.

За нею стала справжня пані Корнелія.

У коротких штанях і в'язаному светрі. Одяг був для неї замалий, але вона таки влізла в нього.

— Пані Корнелія перевдяглася бургомістром! — сказала мама.

— Ні, — мовив Тім.

— Я вдяглася біднячкою, — сказала пані Корнелія. — Хтось позичить мені сотню на келих шампанського?

І вона відразливо засміялася.

— Ми помінялися одягом, — пояснила Лена Ларсен.

— Але не прикрасами, — зауважив Тім.

— Так. Мені не можна знімати медальйон бургомістра.

Тієї миті, мов з-під землі, вигулькнула пані Теркопп зі своєю тацею.

— Прошу, напої! — загорлала вона й зникла, перш ніж ми встигли щось узяти.

Тепер я побачила, що на Лені Ларсен залишився медальйон бургомістра, хоча вона й перевдягнулася в одяг пані Корнелії.

— Правда, я трохи прикрасила його, — сказала пані бургомістр й захихотіла.

На медальйоні висіло безліч дрібних блискучих сердечок, підковок, хрестиків, навіть плюшевих ведмедиків.

— Це просто брязкальця, — сказала Лена Ларсен. — Але…

— …вони пасували б цій мегері, — сказав гладкий фокусник, який підійшов до нас. — Вона не бачить різниці між золотом і звичайним камінням.

— Це Курт, — шепнув мені Тім.

— Звідки ти знаєш? — пошепки спитала я.

— У нього приклеєні вуса, — пояснив Тім. — І тільки він називає пані Корнелію мегерою.

— Це ж чому? — спитала я.

— Бо вони подружжя, — відповів Тім.

І зітхнув.

— Он як, я не бачу ніякої різниці між золотом і камінням? — промовила пані Корнелія високим скрипучим голосом. — Тоді що це?

Вона підняла праву руку, щоб усі побачили блискучий перстень на її пальці.

— Це діамант, — сказав Курт. — Він коштує сто тисяч крон. Якщо ти біднячка, тобі не можна носити його на пальці. Проказати заклинання, щоб його не стало?

8.
Мовчазний поліціянт

У цю мить хтось гучно грюкнув вхідними дверима.

До зали зайшов кремезний поліціянт.

Він стояв при вході й струшував сніг з уніформи.

Його обличчя закривав великий поліційний шолом, але Тім, звичайно, впізнав цього чоловіка.

— Це його ми бачили дорогою до будиночка, — сказав мій брат.

— Звідки ти знаєш? — спитав Лунне Пер.

Тім ледь усміхнувся.

— Він у тому самому взутті.

— Наш добрий шеф поліції Єнсен! — вигукнув Лунне Пер. — Де ти розжився на такий незвичайний костюм?

— Він вам не відповідатиме, — сказав Тім.

Поліціянт розчинився в юрмі. Не сказавши ні слова.

— Як ти дізнався? — спитав Лунне Пер.

— У чоловіка лижні черевики, — сказав Тім. — Це означає, що він сюди приїхав на лижах. Ви казали, що шеф поліції — фантастичний лижник. Зараз сніг не йде, а його одяг весь засніжений. Отже, він падав. Цей чоловік — не Єнсен.

Зараз Лунне Пер був схожий на ошелешеного троля.

— Тут сам чорт не розбере… Та хто ж це?

— Цього я вже не знаю, — відповів Тім. — Я ж не якийсь геній. Я звичайний восьмирічний хлопчик.

Бачте, так теж можна похвалитися.

9.
Злодій, злодій

Лена Ларсен поплескала в долоні:

— Здається, саме час розважитися!

— Атож, — погодилася пані Корнелія. — Курт може показати дітям фокуси.

— Не можу, — відповів Курт.

— Я так і знала, — сказала пані Корнелія. — Ти ж позичив циліндр і тростину фокусника в Лени Ларсен! Невже ти взагалі нічого не можеш?

— Можу купити діамантовий перстень за сто тисяч крон, — сказав Курт і щосили вдарив тата по спині. — Зможеш дати більше, старий?

— Я не про фокуси, — промовила Лена Ларсен. — Я мала на увазі ігри. Наприклад, «Злодій, злодій». Умієте?

Дехто сказав, що вміє, хтось — що не вміє, інші — що не знають. Але вже дуже скоро всі водили коло й співали:

Злодій, злодій мимо пробігав.
Злодій, злодій мого друга вкрав.
Але я таки надію маю,
Що невдовзі злодія впіймаю.
Гей-гоп, тра-ля-ля!
Гей-гоп, тра-ля-ля!

Я написала, що всі співали. Але це неправда.

Тім не співав. І не водив коло. Тім ніколи не грає в ігри й не розважається. Він вважає, що гратися — нудно. Поки ми танцювали, він стояв у кутку й роззирався.

Усе дійство здавалося дуже дивним. І Тім щось запідозрив. Звичайно, він запідозрив.

Раптом погасло світло.

Хоч була середина дня, у залі залягла суцільна темрява.

Усі наскакували одне на одного, ойкали й сміялися.

Хтось запитав, чи це ми вже граємо в піжмурки.

Якась жінка заплакала й закричала:

— Я боюся темряви!

І тут знову ввімкнулося світло.

Пані Теркопп стояла біля дверей. У неї був геть пригнічений вигляд.

— Вибачте! — крикнула вона. — Я не хотіла. Я випадково натиснула на вмикач, коли йшла по тацю.

— Усе гаразд, пані Теркопп! — сказала Лена Ларсен. — Таке буває.

— Звісно! — крикнула пані Теркопп і знов усміхнулася.

Але щось таки сталося.

Тім не усміхався.

— Мені цікаво… — пробурмотів він.

— Що тобі цікаво цього разу? — спитав Лунне Пер, який стояв біля нас.

— Мені цікаво, чому зсунуті штори, — сказав Тім.

— Та ж пані Теркопп їх зсунула!

Лена Ларсен підійшла до нас.

— Вона погано чує, — почала Лена. — Я її попросила розсунути, та потім вона їх знову зсунула.

— Це все пояснює, — сказав Лунне Пер.

Тім мотнув головою.

— Не все.

Лена Ларсен глянула на нього.

— Що ти маєш на увазі? — спитала вона.

— Я маю на увазі, — повільно промовив Тім, — що це не пояснює, куди зник ваш медальйон.

Лена Ларсен торкнулася шиї.

Медальйон зник.

Вона зойкнула.

І закричала:

— Ґвалт! Украли медальйон бургомістра! Допоможіть! Поліція!

10.
Зниклий перстень з діамантом

— Що сталося?

Кремезний поліціянт підійшов до нас. Лена Ларсен розплакалася.

— Хтось украв мій медальйон, Єнсене!

— Це не Єнсен, — сказав Лунне Пер.

— Так, — підтвердив поліціянт. — Я Ольсен.

— Який просто вбрався у форму, — сказала я.

— Ні, — заперечив Тім. — Він *справді* поліціянт.

Ольсен глипнув на Тіма.

— Чому ти так думаєш? — спитав він.

Голос у нього був низький і захриплий.

— Ви одягнені у свій одяг, — сказав Тім. — Це найхитріший спосіб перевдягтися на карнавал. Ви ж щось знаєте, чи не так?

— Так, — буркнув Ольсен. — І здається, я тепер маю помічника!

— Я не помічник, — заперечив Тім. — Я просто хлопчик.

— Могло статися ще гірше, — задоволено мовила пані Корнелія.

Вона стояла біля Лунне Пера.

— Це міг бути мій перстень!

І тоді я помітила.

Я, Єнні Барк. Звичайна дівчинка.

Я побачила те, чого ніхто більше не бачив.

Навіть мій геніальний братик.

Я побачила медальйон бургомістра.

— Там! — крикнула я. — Він там!

Я показала на медальйон.

Я показала на кишеню, звідки виглядав медальйон.

Я показала на чоловіка, з кишені якого виглядав медальйон.

Я показала на Курта.

Наступної миті всі повалилися на підлогу. Долі лежав Курт. На ньому — тато. На татові лежав Лунне Пер, і зверху цієї купи — поліціянт Ольсен.

Тато підвівся перший. Він віддав медальйон бургомістра Лені Ларсен.

— Краще я попрошу пані Теркопп тримати його в себе, — сказала та й віддала медальйон старенькій, яка підбігла раніше, ніж Лена Ларсен договорила.

— Мудро, — згодився поліціянт Ольсен. — Тут можуть бути й інші злодії.

Він схопив Курта за карк. Фокусник вигинався, мов змія.

— Я не винен! — крикнув він. — Чесне слово! Я не знаю, як медальйон опинився у моїй кишені!

— Ми поговоримо про це в поліційному відділку, — похмуро сказав Ольсен.

Він одягнув на Курта наручники й хотів уже його вивести.

Аж тут знов у кімнаті гучно пролунав дзвінкий крик. Наймоторошніший з усіх, що я чула. Очевидно, людина, яка кричала, таки вміла кричати.

То була пані Корнелія.

— Мій діамантовий перстень зник! — репетувала вона.

11.
Поліціянт Ольсен

Пані Корнелія перестала кричати й знепритомніла.

Пані Теркопп хлюпнула їй в обличчя малиновим соком.

Ольсен засюрчав у свисток і вийняв з кишені поліційний значок.

— Мене звати Ольсен, — сказав він. — Я з кримінальної поліції. Усім залишатися в будинку.

Лунне Пер вражено дивився на Курта.

— Та ти, певно, найкращий фокусник у світі, — сказав він. — Як тобі вдалося, лежачи долі, утнути так, щоб перстень зник?

— Перстень узяв не Курт, — мовив Тім. — Ви з цим згодні, Ольсене?

— Згоден, — сказав Ольсен і відсунув стіл. —
І зараз я мушу допитати підозрюваних.

— А хто підозрювані? — спитала мама.

— Усі, — відповів Ольсен.

— Це значить, що і я — підозрюваний? —
спитав Лунне Пер.

— Усі — значить усі, — похмуро відповів Ольсен.

Пані Корнелія опритомніла й тицьнула пальцем на маму й тата.

— Це зробили оті двоє голодранців! — крикнула вона. — Я переконана, вони здатні на все, аби здобути сто тисяч крон!

— Ми нічого такого не робили! — заперечила мама. — Нам досить того, що ми маємо. Ніхто з Барків такого не робив. Правда ж, Фредріку?

Тато нічого не відповів. Але я бачила, як він зціпив зуби й почервонів.

У мене всередині все обірвалося.

Це якесь божевілля.

Присутні виклали все з кишень і сумочок на стіл перед Ольсеном. Персня з діамантом не було.

— Але ж ви не здастеся, правда? — спитав Тім.

Ольсен похитав головою.

— Ні, — сказав він. — Переконаний, що й ти теж.

Кремезний поліціянт і мій братик усміхнулися один одному.

— То нам можна йти додому? — спитав Лунне Пер.

Ольсен кивнув.

— Я не піду, поки не отримаю свого персня! — заверещала пані Корнелія.

— Ти ніколи його не отримаєш! — прогарчав Курт. — Закладаюся, що ти сама його десь загубила.

— Тоді і я закладуся, — сказав Ольсен. — Перстень вкрали. І ми знайдемо злодія, який його поцупив.

— Чого це ви такі впевнені? — крізь зуби процідив Курт.

— Бо правосуддя завжди перемагає, — спокійно відповів Тім.

12.
Докази

Ми попрямували до стійки реєстрації. Там пані Теркопп допомагала гостям розбирати одяг.

Тім прошепотів щось Ольсенові, той кивнув і підійшов до старенької.

Пані Теркопп саме збиралася повернути медальйон Лені Ларсен.

— На жаль, ви не можете забрати його прямо зараз, — сказав поліціянт.

Лена Ларсен приязно всміхнулася.

— Певна річ, не можу, — сказала вона. — Як-не-як це речовий доказ. Він може побути в Ґудрун.

Ольсен глянув на Тіма.

— Ні, — сказав він. — Нехай краще медальйон буде в мене.

— У відділку? — улесливо спитала пані Теркопп.

Ольсен похитав головою:

— Ні, у мене вдома.

Пані Теркопп сплеснула руками.

— Чудово! — ще улесливіше мовила вона. — А в якому будинку ви зупинилися, Нільсене?

— Мене звати Ольсен, — виправив її поліціянт. — Я замешкав у будинку Єнсена. Він мій двоюрідний брат.

— Тепер я зрозуміла, — шепнула я Тімові.

— Так, — пошепки відповів він. — Уже трохи зрозуміліше.

Я кивнула. Хоч у мене й виникло відчуття, що ми говоримо про різні речі.

Пані Корнелія і Курт ішли до виходу. Аж тут вони озирнулися.

— Я заплачу вам дві тисячі крон, якщо зразу повідомите мені, коли щось дізнаєтеся, — сказав Курт і стиснув у руці тростину фокусника.

— Я вам повідомлю тоді, коли повідомлю, — промовив Ольсен. — І безплатно.

Курт фиркнув.

— Ось чому *я* мільйонер, а ви — ні, — сказав він і разом з пані Корнелією вийшов надвір.

Я взяла Тіма за руку.

— Мені дещо спало на думку, — сказала я.

Він схвильовано глянув на мене.

— Що саме?

— А якщо Курт справжній фокусник? Тоді…

— Що тоді?

— Тоді саме він міг поцупити діамант.

— Атож, — відповів Тім. — Якщо Курт справжній фокусник, то все можливо.

Він усміхнувся. Мені.

Тім не так часто це робив.

Я аж зашарілася з гордості.

13.
Опівночі

Цієї ночі я скрикнула й прокинулася. На підлозі. Зламалася ніжка двоярусного ліжка.

У цьому будиночку все треба було ремонтувати.

Щоб тут усе привести до ладу, треба чимало грошей.

Сто тисяч крон. Не менше.

Сто тисяч! Я подумала про перстень пані Корнелії і про тата. Краще б не думала.

— Ти не спиш, Єнні?

Я глянула на Тіма. Він у лижному спорядженні стояв біля вікна.

— Ні, — відповіла я. — Лежу тут і розслабляюся.

— Прекрасно, — сказав Тім. — Одягайся. Нам треба йти.

Я схопилася на ноги й спантеличено подивилася на нього.

— Навіщо?

— Викривати злочинця.

— Коли? Кого?

— Скоро. Того, хто вкрав діамантовий перстень.

Після цих слів мені вже було не до сну.

— Але чо… — почала я.

Тім урвав мене.

— Поговоримо про це дорогою. Зараз пів на дванадцяту. Якщо ми не поквапимося, то запізнимось.

Я мала тисячу запитань, але розуміла, що не можна баритися. Швиденько вдяглася, і ми одразу ж вирушили. Вийшли з будиночка, стали на лижі.

Ми причепили ліхтарики, хоч їх можна було й не вмикати. Світила повня, над нами сяяли зірки, мов тисячі перснів із діамантами. Була ніч, проте бачили ми доволі далеко. Сніг лежав хвилями, як у білій пустелі.

Тім ішов перший. Він не дуже вправно ходить на лижах.

Мені доводилося триматися позаду. До того ж я не знала, куди ми йдемо.

Зате Тім дуже добре знав.

Він спинався пагорбом у бік скелі, що скидалася на хижака.

Угорі щось світилося. Я вже збиралася спитати в Тіма, аж тут зрозуміла, що це. Там, на вершині гори, стояв будинок. Це був будинок…

Перш ніж я встигла здогадатися, Тім озирнувся і сказав:

— Так, це Дика Гора.

— Будинок Єнсена. Ось куди ми йдемо.

Тім кивнув.

— Погаси ліхтар.

— Він погашений.

— Значить, уже не вмикай його. І йди тихо. Щоб ніхто нас не помітив.

— Чому?

Хоч я і говорила пошепки, та все одно почула, що мій голос тремтів.

— Бо нам треба зупинити злочинця, — похмуро відповів Тім.

14.
Грабіжник

Стало темніше. Місяць сховався за хмарою, почався снігопад. Легкі сніжинки сідали мені на обличчя й танули.

На щастя, до будинку вела торована лижна стежка. Я люблю видиратися на круті пагорби.

А от Тіму це не до вподоби.

Майже досягнувши вершини, ми зупинилися. Тім так стомився, що аж хекав.

— Уже зовсім близько, — намагалася я його підбадьорити.

Тім нічого не відповів. Він дивився повз мене. Потім кивнув головою.

Мені здалося, що сніг примерз до моїх щік.

Під будинком чорніла чиясь постать.

— Грабіжник, — прошепотіла я. — Це його ми маємо зловити?

Тім приклав пальця до губ і пішов далі.

Понад усе на світі мені хотілося гайнути додому й лягти в ліжко, хоч у нього й зламалася ніжка. Але все-таки Тім був моїм молодшим братом, і я — сильніша за нього. Тому й пішла слідом.

Може, нам пощастить тихенько підкрастися до будинку. Проте з Тімом це було непросто — він хекав і пихтів, як ураган.

Коли ми були метрів за п'ять від дверей, чорна постать обернулася до нас.

— Хто там? — промовив голос, який я точно чула раніше.

— Це ми, — сказала я. — Супердетектив Тім і команда.

Останні слова самі зірвалися з моїх вуст.

Чорна постать засміялася. Потім вона повільно рушила до нас.

— Зараз я підійду.

Я відчула, що мої ноги обм'якли, мов спагеті.

І тут Тім вийняв з кишені свисток і дмухнув у нього. Різкий звук пронизав зимову ніч.

Тім засвітив ліхтарик і спрямував його на постать.

Я не повірила своїм очам.

Це була Лена Ларсен.

15.
Іменем закону

— Що ви тут робите? — запитала я.

— Я хотіла спитати те саме у вас. Зараз північ. Ваші мама й тато знають, що ви тут о такій порі?

Я похитала головою.

— Ні. Тім і я…

— Бери малого і йди додому, Єнні.

Лена Ларсен усміхнулася.

Не те щоб зловісно.

Не те щоб єхидно.

Вона усміхнулася дружньо.

Але вона назвала Тіма малим.

Я подивилася на брата. Він не усміхався. Він навіть нічого не сказав.

Обличчя у Тіма почервоніло. Це було добре помітно, хоча з вікна будинку надвір падало зовсім мало світла.

Нарешті він заговорив:

— Лено Ларсен, вас заарештовано іменем закону.

— І за що ви хочете мене заарештувати? — весело спитала Лена Ларсен.

— За спробу пограбування, — сказав Тім і глянув на двері.

Вони були замкнені, замок цілий.

Ані сліду злому чи спроби проникнення.

Жодне з вікон теж не було пошкоджене.

Раптом я зрозуміла, що Тім помилився.

— Ви хочете заарештувати мене за те, що я приїхала провідати Ольсена? — спитала Лена Ларсен.

Я страшенно напружилася.

Натомість Тім був спокійний.

— Ми збиралися заарештувати вас під час спроби залізти в будинок Ольсена, — сказав він.

— Не ми, — обережно сказала я. — Це все ти…

Лена Ларсен засміялася.

— Я не мала наміру щось поцупити, Тіме. Окрім келиха лікеру, можливо. Але, думаю, мені його й так дали б.

— А як щодо медальйона?

— Медальйон бургомістра. Він усе-таки мій. Ну, гаразд. Я хотіла попросити Ольсена повернути його мені.

— Медальйон — доказ, — сказав Тім. — У кримінальній справі.

— Це так. Але завтра починається сезон гри в покер у старечому будинку.

Лена Ларсен мені підморгнула.

— Ти класно граєшся у детектива, Тіме. Але якщо я пообіцяю, що нічого не розкажу твоїм батькам, ти можеш пообіцяти не заарештовувати мене до завтра?

— Навіть не думайте.

Навіщо Тім так сказав? І таким грубим голосом? Я була збентежена й аж розчервонілася. А тоді збагнула, що це взагалі вимовив не Тім. Це сказав хтось кремезний, хто обходив будинок. То був Ольсен.

— Нарешті, — сказав Тім. — Звідки це ви?

— Вийшов через задні двері, — сказав Ольсен. — Так безпечніше.

— Може, для вас, — сказав Тім. — Але Єнні і я страшенно довго стояли тут віч-на-віч з небезпечною злочинницею.

— Не така вона й небезпечна… — почала я.

І тоді обличчя Лени Ларсен змінилося.

Вона більше не всміхалася.

Вона не здавалася доброю.

Її очі більше не сяяли.

Вона була схожа на собаку. І пирхала.

— Стережися, Єнні, — сказала собака.

Ольсен вийняв щось із кишені.

Щось блискуче.

Наручники.

— Лено Ларсен, вас заарештовано за крадіжку діамантового персня пані Корнелії.

— Може, нам краще зайти до вас додому? — запропонував Тім.

16.
Дика Гора

У будинку на Дикій Горі значно краще, ніж у нашій хатині.

Тут є електрика й вода, дерев'яні панелі на стінах, великий диван і лакований таріль з накривкою посередині журнального столика.

— Де медальйон? — спитав Тім.

— У безпечному місці, — запевнив Ольсен.

— Я думала, ми шукали діамантовий перстень, — сказала я. — Але, мабуть, помилилася.

— Мабуть, помилилася, — мовила Лена Ларсен.

— Припустімо, що медальйон — це слід, — сказав Тім.

— І припустімо, що Тім — нишпорка, що йде по сліду, — сказав Ольсен. — Тоді залишається єдине запитання. Правда, Тіме?

— Так, — відповів Тім. — Хто ваш спільник?

— Спільник? — перепитала я, бо, звісно, усі інші чудово розуміли, про що йдеться.

Лена Ларсен зайшлася хрипким глумливим сміхом.

— Я скажу на це тільки одне: і спільник, і здобич безслідно зникли. І ви ніколи їх не знайдете.

Ольсен кинувся до тареля і підняв накривку.

Таріль був порожній.

Медальйон зник.

Ольсен дивився на Тіма. Тім дивився на Ольсена.

Я дивилася у вікно — на сніг, який усе не вщухав, і в темряву, що не розсіювалася.

І побачила там її.

Тінь під будинком на Дикій Горі.

Людину в темряві.

17.
Погоня крізь хуртовину

Я не маю відстовбурчених вух. Не маю великих круглих очей.

І нюх у мене не надто хороший.

Але я смілива.

Готова до пригод.

І дуже добре катаюся на лижах.

Я першою опинилася за дверима.

Першою стала на лижі.

Це саме я погналася за темною постаттю вниз із Дикої Гори, а вітер свистів і жбурляв сніжинки мені в обличчя.

Я це кажу не для того, щоб похвалитися.

Я кажу це, бо саме так воно й було.

Вітер завивав.

Сніг і дощ шмагали мене по обличчю.

Але все, що тоді мало значення, — наздогнати маленьку спритну постать, яка летіла вниз попереду мене.

Спільник.

Ось хто це.

Зловмисник був не гіршим лижником, аніж я.

Кожен поворот — як уві сні.

І голоси за моєю спиною теж долинали, мовби зі сну.

— Зачекай, Єнні! Не роби цього, Єнні! Це небезпечно, Єнні!

Я їх чула, але не послухалася.

Усе, про що я думала, — переді мною злочинець, якого треба наздогнати.

Але хто це?

Я їхала так швидко, що стала задихатися.

Місяць сховався за великою темною хмарою, і я бачила лише те, що вихоплювала з пітьми вузенька смужка світла від ліхтарика.

А невдовзі не бачила вже й цього.

Сніг валив такий густий, що обліпив мені вії.

Усе, що я бачила, було сіре.

Я не знала, куди ми їдемо, зате знала, де ми.

Посеред хуртовини.

Одначе я не зупинялася.

18.
Закривавлений сніг

Ми мчали швидше й швидше.

Гілля шмагало мене по обличчю.

Вітер дув так сильно, що здавалося, ніби мене ось-ось зідме.

Мені треба тільки триматися лижної траси.

І тут я зрозуміла, що аж ніяк не можу її триматися.

Якщо я спускатимусь трасою, то ніколи не наздожену злодія.

І ніколи не дізнаюся, хто допоміг Лені Ларсен поцупити діамантовий перстень пані Корнелії.

Я мусила їхати навпереймий.

Це було небезпечно. Щось могло піти не так. Я могла перечепитися. Налетіти на дерево. Але я не мала вибору.

Навіть не вагаючись, я перенесла вагу тіла на ліву ногу.

Тіло нетерпляче чекало. Лижі теж.

«Зараз упаду», — подумала я.

Але не впала. Я полетіла.

Здавалося, полетіла зі швидкістю сто тисяч кілометрів на годину.

Полетіла повз дерева й кущі.

Полетіла мимо постаті, яка відчайдушно мчала пагорбом униз.

Справді мимо.

І справді вперед.

Спускаючись із гори, треба бути уважними.

Треба бути обережними, щоб не загороджувати дорогу тим, хто позаду.

Якщо тільки позаду — не викрадач діамантів.

Тоді вибору немає.

Наступне, що я пам'ятаю, — як щось сильно вдарило мене в потилицю.

Хтось смикнув мене за волосся. Хтось мене вкусив. Сильно й боляче вкусив за щоку.

Хоч хто то був — він дуже сильний, із гострющими зубами.

Я відчула, як щось гаряче потекло по щоці. Кров.

Мою руку вивернуло назад. Здавалося, що я падаю. Я провалилася у щось холодне.

Закривавлений сніг. Червоний від моєї крові. Опівночі. Де зараз Тім і Ольсен? Я не була героїнею. Я не була ніяким генієм. Я не була навіть сміливою.

Я просто Єнні Барк. Як же я в цю мить шкодувала...

Я шкодувала, що переслідувала злочинця. Шкодувала, що пішла з Тімом на Дику Гору, що дерлася до будинку на вершину.

Але було вже пізно.

Щось ударило мене в живіт, а потім я почула голос. Такий бридкий і холодний, що я назавжди його запам'ятаю.

— Я ніколи не здаюся, — просичав лиходій і щось різко підняв.

У нього в руках була лижна палиця, яка мала стати знаряддям убивства.

Я заплющила очі й відчула, як мені зсудо-
мило руки.

Паніка.

19.
Другий злочинець

— Тобі доведеться здатися, — сказав Ольсен.

Я розплющила очі.

Лижна палиця так мене й не вдарила.

Вона спинилася в повітрі над моєю головою, а потім повільно опустилася. Не на мене, а додолу.

— Ось так, — сказав Ольсен.

Він спустився з пагорба позаду нас, ведучи за собою Лену Ларсен на мотузці.

— Отже, зараз ми звільнимо Єнні. А потім заберемо медальйон.

Тільки зараз я помітила, що у лиходія на шиї висів медальйон бургомістра. Мій ліхтарик світив прямо на нього. Ось чому я побачила те, що висіло серед брязкалець. Воно виблискувало яскравіше за все інше.

Справжній діамантовий перстень.

Вартістю сто тисяч крон.

Потім я почула інший голос з вершини пагорба.

— Як ти, Єнні?

Це був Тім.

Він з'їхав з гори останнім.

На спуск мій брат згаяв ще більше часу, ніж на підйом.

— Як ти, матусю? — спитала Лена Ларсен.

Тоді я й побачила, за ким гналася зі самої Дикої Гори.

Спритна. Сильна. Чудова лижниця з дуже гострими зубами.

То була пані Теркопп.

20.
Пояснення

І ось діамантовий перстень виблискує на пальці пані Корнелії, коли вона тицяє в Курта:

— Принеси ще тістечок нашим героям!

Курт пробурмотів щось і зник у кухні. Уже цілу годину він тільки й робив, що бігав туди-сюди. Мушу визнати, мені його стало навіть шкода.

Те саме відчували й інші. Окрім Тіма.

Пані Корнелія запросила нас до свого будинку, щоб відсвяткувати розкриття таємниці й затримання злочинців.

Будинок, до речі, більше скидався на замок. Він, мабуть, коштував не один мільйон. Дім був дуже красивий, проте не надто затишний.

Пані Корнелія розляглася в шкіряному кріслі й доїдала залишки тістечка.

— Скажіть, — почала вона, — як ви зрозуміли, хто злодій?

Вона глянула на Ольсена. Ольсен глянув на Тіма.

Тім саме ум'яв своє тістечко, коли увійшов Курт і поставив перед ним новий таріль.

— Загалом усе почалося з того, що пані Корнелія сказала Лені Ларсен.

Пані Корнелія вражено подивилася на нього.

— Я? — спитала вона. — І що ж це я сказала?

— Думаю, ти забагато говорила, як завжди, — промимрив Курт.

Він сів біля дружини на дивані.

— Що Лені Ларсен не завадять дві тисячі крон на покерний турнір, який вона влаштовує у старечому будинку, — сказав Тім.

Усі, крім Ольсена, збентежено подивилися на нього.

Тім зітхнув.

— Мені здалося дивним, що бургомістр влаштовує покерні турніри в старечому будинку. До того ж у Норвегії заборонено грати в карти на гроші, чи не так?

Ольсен кивнув.

Тім пояснював далі. Зараз усі на нього дивились, як заворожені. Він говорив тихо й спокійно. Створювалося враження, що Тімові нудно. Справу розкрито, то й азарт згас. Тепер йому доводилося все пояснювати тим, хто не такий кмітливий, як він.

— Я зрозумів, що треба не спускати з неї очей, — вів далі Тім. — На карнавалі з'явилася пані Теркопп. Її привела Лена Ларсен зі старечого будинку нібито для допомоги. Стара пані вдавала глухувату й забудькувату. Але вона перестаралася.

Тім обвів слухачів поглядом, але ніхто не питав, у чому пані Теркопп перестаралася, тож він розказував далі.

— Вона була в домашньому халаті. Зрозуміло, що це не її карнавальний костюм. Але якщо в неї така погана пам'ять, що вона забула перевдягнутися, то як вона могла обслуговувати гостей? Лена Ларсен мала це розуміти. Отже, вони обидві хотіли, щоб пані Теркопп здавалася безпораднішою, ніж була насправді.

Тато відверто пишався Тімом.

— Це мій син, — сказав він.

Але всі й так це знали.

— Коли увімкнулося світло, пані Теркопп сказала, що вона ненавмисно натиснула вмикач. Але чому перед цим стало темно?

— Бо вона засунула штори, — сказав Лунне Пер. — Очевидно ж.

Тім кивнув.

— І в цій темряві з'явився той, хто поцупив медальйон і підкинув його Куртові.

21.
Подарунок

— Знову ця пані Теркопп, — гаркнув Курт. — Якби я тільки знав, то…

Але Тім похитав головою.

— Ні. Той, хто підкинув вам у кишеню медальйон, — справжній фокусник.

Курт збентежено глянув на нього.

— Справжній фокусник?

— Так. Той, хто позичив костюм фокусника.

— Лена Ларсен! — вигукнув Курт. — Якби я тільки знав, то…

— Але навіщо вона це зробила? — спитала мама.

— Щоб відвернути увагу, — пояснив Тім. — Коли всі попадали на Курта, досвідченому фокусникові легко було вкрасти перстень!

— А я сам віддав медальйон Лені Ларсен, — мовив тато. — Який же я бовдур!

Тім похитав головою.

— Ні, — сказав він, — ти маєш приблизно середній рівень розумових здібностей. Коли Лена Ларсен просила пані Теркопп узяти медальйон, та з'явилася ще до того, як пані бургомістр договорила. Що це означає?

Тім оглянув присутніх.

— Це означає, що пані Теркопп не така тугувуха, як удавала, — сказав Лунне Пер.

На мить я перелякалася, що зараз Тім скаже Лунне Перові, мовляв, у нього розумовий рівень вищий за середній. Та, на щастя, мій брат цього не зробив.

— Точно, — сказав Тім. — Лена Ларсен віддала медальйон і перстень пані Теркопп. Саме вона причепила перстень до медальйона між цими брязкальцями. Я поговорив з Ебертом і розповів йому про свої здогади.

— Хто це — Еберт? — спитав тато.

Ольсен зашарівся.

— Це я, — сказав він. — Мене звати Еберт Ольсен. Я зрозумів, що Тім має слушність.

Тому забрав медальйон як доказ. І сказав пані Теркопп, що віднесу його додому.

Він подивився на Тіма, який сьорбав какао, і повів далі:

— Так ми знали, що й мати, і дочка прийдуть до мого будинку забрати перстень.

Лунне Пер запитав про те, що цікавило нас усіх.

— Мати й дочка?

— Так, — відповів Ольсен. — Про Ґудрун Теркопп ми знали вже давно. І саме через це я попросився у будинок свого двоюрідного брата Єнсена. Пані Теркопп — одна з найвідоміших шахрайок у Норвегії. До того ж вона — мати Лени Ларсен, яка…

— Її дочка! — вигукнув Курт. — Розумію.

— …яка заробляє тим, що підбиває людей до азартних ігор, — сказав Ольсен. — Останнім часом вона втратила багато грошей через гру в покер, яку влаштовувала в старечому будинку. Тому викликала до себе найхитрішу свою родичку. Лена Ларсен — бургомістр, їй легко було влаштувати маму в будинок для старeньких. Разом вони спланували викрадення діамантового персня. Але саме Ґудрун Теркопп придумала план операції і керувала ним. Вона справжній диявол. На щастя для правосуддя, є ось цей хлопець, чий розум виявися гострішим.

Ольсен обернувся і вклонився Тімові.

— Шкода, що ти занадто малий, аби служити в поліції, Тіме. Але детектива, розумнішого за тебе, я ще не зустрічав. Тому й приготував тобі маленький подарунок.

Він підняв з підлоги коробку.

Тім розкрив її та вийняв звідти кашкет, лупу й записник.

Він надягнув кашкет й подивився через лупу на таріль.

— Ти шукаєш там якісь сліди, Тіме? — спитав Ольсен.

— Так, — відповів Тім. — Я шукаю сліди тістечок, яких там більше немає.

— Курте! — закричала пані Корнелія.

— Уже біжу, мій генерале! — вигукнув чоловік і побіг у кухню.

22.
Супердетектив Тім
і команда

Над головою розкинулося безхмарне небо. Зірки, здавалося, підморгували мені.

Це я вискочила з будинку на Дикій Горі й зупинила пані Теркопп, але всі розхвалювали мого молодшого брата.

Отак завжди.

Мій братик — геній.

Не дивно, що всі пишаються ним.

Я ж — просто звичайна дівчинка, хоча дуже смілива і вмію добре їздити на лижах.

Холодно. Я почала тремтіти.

А потім відчула, що хтось стоїть у мене за спиною. Я озирнулася. Це був Тім. Він дивився на мене.

— Я хотів у тебе дещо спитати, Єнні.

Ніколи раніше мій брат до мене так не звертався.

— Що?

— Те, що ти сказала на Дикій Горі…

— Я наплела багато дурниць на Дикій Горі, — мовила я.

— Так. Але перш ніж ми зрозуміли, що це була Лена Ларсен… Коли вона спитала, хто йде, — пам'ятаєш, що ти сказала?

Я пам'ятала, та не дуже хотіла це повторювати. Але знала, що мушу.

— Супердетектив Тім і команда, — пробурмотіла я.

— Так, — сказав Тім. — Я хотів спитати… Чи не думала ти про те… Щоб…

У мене геніальний молодший брат.

Йому вісім років.

Але я ніколи раніше не бачила його таким.

Я кивнула.

— Якщо ти це маєш на увазі, — мовила я.

Він простягнув мені записник, який йому подарував Ольсен.

— Так, — сказав він. — І тобі знадобиться це.

— Навіщо? — спитала я.

— Щоби писати про справи, які ми розкриваємо. Щоби про них пам'ятали.

— Ми, — прошепотіла я. — Справи, які *ми* розкриваємо?

Лижні траси за будинком тяглися в бік гір, спускалися в долину й губилися в безкінечності.

— Я не зумів би цього без тебе, Єнні, — сказав Тім.

Я не певна, що він має слушність.

Але все-таки в одному переконана: я дуже рада, що ми купили будиночок у Сультоппені.

Літературно-художнє видання

Гільда Ґаґеруп, Клаус Ґаґеруп

Супердетектив Тім

Таємниця зниклого діаманта *і команда*

Для молодшого шкільного віку

Переклад з норвезької *Володимира Криницького*
Ілюстрації *Елли К. Окстад*

Головна редакторка *Мар'яна Савка*
Відповідальна редакторка *Анастасія Єфремова*
Літературна редакторка *Катерина Щадило*
Художній редактор *Іван Шкоропад*
Макетування *Андрій Бочко*
Коректорка *Анастасія Єфремова*

Підписано до друку 09.05.2022. Формат 84×108/32
Гарнітура «Heuristica». Друк офсетний.
Умовн. друк. арк. 4,62. Наклад 3000 прим. Зам. № 22-214.

ВИДАВНИЦТВО
СТАРОГО ЛЕВА

Свідоцтво про внесення до Державного реєстру видавців
ДК № 4708 від 09.04.2014 р.

Адреса для листування:
а/с 879, м. Львів, 79008

Книжки «Видавництва Старого Лева»
Ви можете замовити на сайті *starylev.com.ua*
📞 0(800) 501 508   ✉ spilnota@starlev.com.ua

Партнер видавництва

Віддруковано на ПрАТ «Білоцерківська книжкова фабрика»
Свідоцтво серія ДК № 5454 від 14.08.2017 р.
09117, м. Біла Церква, вул. Леся Курбаса, 4.
Тел./Факс (0456) 39-17-40
E-mail: bc-book@ukr.net; сайт: http://www.bc-book.com.ua

The Enchanted Gloves

and Pixie Pockets

illustrated by
Dorothy Hamilton

AWARD PUBLICATIONS LIMITED

The Enchanted Gloves

Ho-Ho and Higgledy were two little brownies who lived in Sunflower Cottage on the edge of Honey Common. One was a painter and the other was a carpenter. Ho-Ho could paint a wall or a door in double-quick time, and Higgledy could make anything you pleased, from a giant's table to a canary's bath.

One day they had a message from Long-Beard, the Chancellor of Fairyland. He lived in a palace nearby, and the two brownies often saw him out in his golden carriage.

THE ENCHANTED GLOVES

Ho-Ho opened the letter and read it out loud to Higgledy. This is what it said:

'The chancellor would be glad if Ho-Ho and Higgledy would call at his palace tomorrow morning to do some work.'

'Ha!' said Higgledy, pleased. 'That's fine! We shall get well paid for that! And it will be lovely to say that we work for the chancellor. All our friends will know then that we are good workmen.'

The next morning the brownies went to the palace. Long-Beard the chancellor saw them, and told them that he wanted his dining-room painted yellow and a new bookshelf made for his study.

'Very good, sir,' replied Ho-Ho and Higgledy. 'We will start straight away.'

They began their work, whistling merrily. Cinders, the chancellor's black cat, and Snowie, his white dog, came to watch them. They sat there solemnly and watched everything that the brownies did.

'Do go away,' said Ho-Ho at last. 'You make us feel quite uncomfortable, staring all day like that.'

'We like to watch you,' said Cinders. 'What a lovely colour that yellow is which you are using, Ho-Ho.'